Dirección Editorial: Raquel López Varela
Coordinación Editorial: Ana María García Alonso
Traducción: Esther Sarfatti
Maquetación: Cristina A. Rejas Manzanera
Diseño de cubierta: Darrell Smith
Ilustración: Ángeles Peinador

© EDITORIAL EVEREST, S. A.
Carretera León-A Coruña, km 5 - LEÓN
ISBN: 978-84-441-4689-8
Depósito legal: LE. 1159-2011
Printed in Spain - Impreso en España

EDITORIAL EVERGRÁFICAS, S. L.
Carretera León-A Coruña, km 5
LEÓN (España)
Atención al cliente: 902 123 400
www.everest.es

El patito feo

The Ugly Duckling

El patito feo

The Ugly Duckling

Ilustrado por Ángeles Peinador

Había una vez una feliz mamá pata
que empollaba sus huevitos y contenta
entonaba esta canción mientras esperaba
ansiosa la llegada de sus patitos:

Mis patitos serán bonitos.
Mis patitos serán hermosos.
Así serán mis hijitos,
lindos y bellos patitos.

There was once a happy mother duck
that sat on her eggs and cheerfully sang
this song as she looked forward to the birth
of her ducklings:

My ducklings will be lovely.
My ducklings will be beautiful.
That's what they'll be,
lovely and beautiful ducks.

Los patitos tardaron varios días en salir de su cascarón. Hasta que uno por uno fueron apareciendo, y contentos, al ver a su mamá, decían:

—Cuac, Cuac, Cuac.

The ducklings took several more days to hatch. Finally, one by one began to emerge, and happily said to their mother, "Quack, quack, quack."

El último patito en salir fue el que su cascarón era más grande y blanco de todos. Cuando por fin lo logró y vio a su mamá, dijo contento de alegría:

—Quiá, quiá, quiá.

The last duckling to hatch was the one whose egg was the biggest and whitest of all. When he finally came out and saw his mother, he was so happy that he said, "Quiack, quiack, quiack."

No sólo hablaba diferente, sino que su aspecto era distinto, era mucho más grande que sus hermanos.

Aún así, su mamá lo quiso igual que al resto de sus otros hijitos.

Not only did he quack differently but he was rather odd looking and bigger than his siblings.

Even so, his mother loved him just the same as the rest of her brood.

Día tras día los patitos iban creciendo y se hacían cada vez más hermosos, excepto el último que era cada vez más diferente a sus hermanos.

The ducklings grew and became stronger and lovelier with each passing day, except for the last duckling, that looked more and more different from his siblings.

Las otras aves que se acercaban al arroyo a nadar o beber agua se reían de él y le decían que era feo. Pronto sus propios hermanos también comenzaron a burlarse de él. Sin embargo, para mamá pata todos sus patitos eran bellos y los quería por igual.

El pobre patito feo se sentía desdichado y a veces se separaba de su familia.

The other birds that came to the stream to swim or drink water laughed at him and called him ugly. Soon, even his siblings began to make fun of him. However, the mother duck considered all her ducklings beautiful and loved them equally.

The poor ugly duckling felt unhappy and sometimes he ventured far away from his family.

Hasta que un día se separó demasiado y se perdió. Buscó a su mamá y a sus hermanos por todas partes, pero no logró encontrarlos.

"Quizá es mejor así. Me iré a otro lugar donde pueda encontrar amigos", pensó.

16

One day he went so far away that he got lost. He looked for his mother and siblings, but he couldn't find them.

"Maybe it's better this way. I'll go to a different place where I can make friends," he thought.

Una mañana llegó cerca de un arroyo donde una joven le daba de comer a unas gallinas.

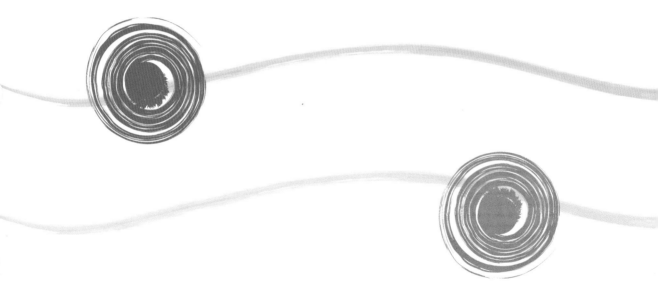

One morning, he reached a stream where a young girl was feeding some hens.

19

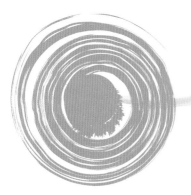

Se quedó un tiempo, pero tanto la familia de la joven como las gallinas no dejaban de burlarse de él, llamándolo pato feo.

. He stayed there for some time, but the girl's family and even the hens made fun of him and called him the ugly duckling.

—Este pato se ha puesto muy gordo —le oyó decir un día a la hija de los granjeros.

—Sí —contestó el padre de ella. Tendremos que asarlo un día de estos.

"The ugly duckling has fattened up nicely," he overheard the farmer's daughter say one day.

"He sure has," agreed the father. "We should consider roasting him one of these days..."

Esa noche, el patito feo estaba tan asustado que huyó de la granja hasta que llego a un arroyo claro y limpio. Allí paso el largo invierno, solo y triste.

That night, the duckling was so frightened that he ran away from the farm until he reached a clear, clean stream. There he spent the whole winter, lonely and sad.

Poco a poco los días se fueron alargando y el viento se fue tornando cálido. Por fin había llegado la primavera.

Little by little, the days became longer and the wind got warmer. Spring had finally come.

Una tarde que el sol brillaba, vio sobrevolar una bandada de aves. ¡Qué hermosas eran!

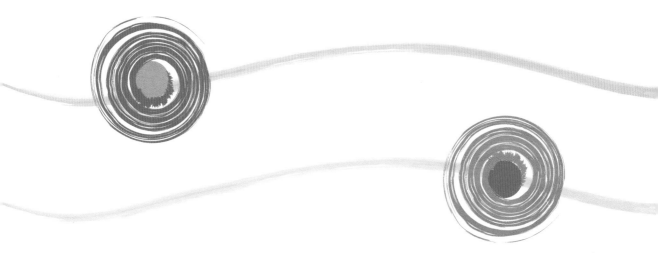

One afternoon when the sun was shining, he saw a flock of birds. They were so beautiful!

Una de ellas, al ver al patito solo en el arroyo, descendió hasta donde estaba él y le dijo:

—Jamás he visto un cisne tan bello. Ven con nosotros y serás nuestro rey.

Seeing the duckling alone in the stream, one of the birds flew down and said, "I've never seen a lovelier swan. Come with us and you'll be our king."

—Por qué te ríes de mí. Soy un pato y soy muy feo. Nadie me quiere.

—No miento. Tu reflejo en el agua del arroyo confirmará lo que te he dicho.

"Why are you mocking me? I'm a duck and I'm ugly. Nobody loves me."

"I'm not lying. Your reflection in the water will confirm what I've said."

Al verse reflejado en el arroyo, batió sus alas de alegría. Mirando el resto de los cisnes en el cielo, levantó vuelo y se unió a su familia.

When he saw himself reflected in the water, he beat his wings with joy. Looking at the other swans in the sky, he flew up and joined them.

Se convirtió en el rey de los cisnes y fue muy feliz.

He became the king of the swans, and lived very happily.